**La pratique des soins infirmiers en stomathérapie**

Francele Nogueira Moreira
Ingrid Marques
Iara Raquel Castro

# La pratique des soins infirmiers en stomathérapie

Une approche de la stomathérapie et des rôles
du stomathérapeute

**ScienciaScripts**

**Imprint**

Any brand names and product names mentioned in this book are subject to trademark, brand or patent protection and are trademarks or registered trademarks of their respective holders. The use of brand names, product names, common names, trade names, product descriptions etc. even without a particular marking in this work is in no way to be construed to mean that such names may be regarded as unrestricted in respect of trademark and brand protection legislation and could thus be used by anyone.

Cover image: www.ingimage.com

This book is a translation from the original published under ISBN 978-613-9-62381-5.

Publisher:
Sciencia Scripts
is a trademark of
Dodo Books Indian Ocean Ltd. and OmniScriptum S.R.L publishing group

120 High Road, East Finchley, London, N2 9ED, United Kingdom
Str. Armeneasca 28/1, office 1, Chisinau MD-2012, Republic of Moldova, Europe

**ISBN: 978-620-7-27638-7**

Je dédie ce travail à Dieu, à ma famille et à mes amis.

2

# REMERCIEMENTS

À Dieu qui a permis que tout cela arrive, sans qui rien de tout cela n'aurait été possible, et pas seulement au cours de ces années d'études universitaires, mais à chaque instant de ma vie. Il est mon refuge et ma force, un secours très présent dans la détresse (Psaumes 46:1).

À mes parents bien-aimés, Maria da Soledade et Claudiomir, pour leur amour, leurs encouragements et pour avoir cru et investi en moi, en me soutenant à tout moment.

A mes chers frères, Michele, Claudiomir et Claudemir, pour leur fraternité et leur soutien inconditionnel chaque fois que j'en ai eu besoin.

À mon petit ami, Luis Jeronimo, qui, d'une manière spéciale et affectueuse, m'a donné force et courage, en me soutenant dans les moments difficiles et en me montrant de l'optimisme et de la confiance.

À tous les enseignants qui m'ont accompagné pendant mes études de premier cycle et qui ont grandement contribué à mon développement académique. À Shirley, l'infirmière stomathérapeute, pour sa volonté de contribuer à la préparation de ce travail.

À mes amis et collègues pour leurs encouragements et leur soutien constants. En particulier, mes chères amies Dorileudes, Ingrid, Lara Raquel, Genitelma et Rafaella, mes compagnes de travail qui m'ont aidée et ont contribué à ma formation, sont des personnes que je garde dans mon cœur et qui seront toujours avec moi.

À mes camarades de classe Ingrid et Lara Raquel, qui se sont jointes à moi pour réaliser ce travail, pour leur travail acharné et leur dévouement.

Je tiens à remercier toutes les personnes qui ont contribué directement ou indirectement à ma formation.

FRANCELE DA COSTA NOGUEIRA

A Dieu pour m'avoir donné le don de la vie, la force de surmonter les difficultés, pour m'avoir donné la sagesse dans mes choix et pour avoir permis que tout cela se produise tout au long de ma vie.

A mes parents pour leur encouragement et leur amour inconditionnel. Je tiens à remercier tout particulièrement ma mère Lucinete, ma raison de vivre, qui m'a soutenue et encouragée dans les moments difficiles de découragement et de fatigue, mais qui, malgré les difficultés, n'a jamais fait d'efforts pour m'aider à réaliser mon rêve de devenir infirmière.

Je voudrais remercier ma grand-mère Juliana pour son amour et ses encouragements, pour sa confiance et son engagement dans mon rêve, merci pour ta compagnie et ton amitié.

À mon père Galdino, qui, malgré ses efforts et ses difficultés, m'a encouragé et a voulu me voir obtenir mon diplôme, mais qui, malheureusement, n'est plus parmi nous.

Je voudrais remercier mes frères et neveux qui, dans les moments de ma vie consacrés à mes études, m'ont toujours fait comprendre que l'avenir est fait de nos choix et de nos efforts consacrés au présent, et m'ont encouragé dans les moments difficiles où je pensais que je n'y arriverais pas.

Je voudrais remercier mon petit ami Santiago pour avoir été à mes côtés depuis le début de ce voyage, pour m'avoir donné de la force et des encouragements quand j'en avais besoin, pour sa compagnie et son dévouement, pour avoir toujours été à mes côtés, toujours prêt à m'aider.

À mes amies Liane Sousa, Werbeth Serejo, et surtout à mes compagnes de travail Francele Nogueira, Ingrid Marques, Rafaella de Castro, Dorileudes Carvalho, Janne Pires, des sœurs d'amitié qui ont fait partie de ma formation et qui continueront certainement à être présentes dans ma vie.

IARA RAQUEL CANTANHEDE CASTRO

Tout d'abord à Dieu pour m'avoir donné la vie, la santé, la sagesse, le courage de me battre et la persévérance de gagner.

À mes grands-parents, parents, oncles et tantes, amis, frères et sœurs et cousins, qui ont tous contribué à cette réussite. À mes amis du groupe : Francele, Lara, Genitelma (Janne), Dorileudes (Dorinha) et Rafaella, qui ont toujours été là pour moi, qui ont partagé chaque moment depuis le début de mon parcours et pour la vie.

Aux enseignants qui m'ont fourni des connaissances et de l'inspiration au cours de ma formation professionnelle.

A mes compagnes d'étude : Francele et Lara pour leur amitié et pour avoir fait partie de ce voyage et qui resteront présentes dans ma vie.

Et à tous ceux qui, directement ou indirectement, ont participé à ce voyage en m'encourageant, en me donnant des conseils, en me donnant de la force et en croyant en moi, mes remerciements.

INGRID MARQUES MENDES

# RÉSUMÉ

La stomathérapie est une spécialité infirmière qui promeut des soins préventifs et rééducatifs pour les personnes souffrant de stomies, de plaies aiguës et chroniques, d'incontinence anale et urinaire et de fistules. Dans cette perspective, la question s'est posée de savoir quelles seraient les pratiques de soins en stomathérapie pour le professionnel infirmier, et les compétences techniques de l'infirmier stomathérapeute (ET), ses principales fonctions et son autonomie dans le poste ont été abordées. L'objectif de cette étude était de décrire la pratique des soins infirmiers en stomathérapie à travers une revue de la littérature. La rareté des recherches sur la stomathérapie a motivé une étude exploratoire afin d'analyser la production scientifique sur ce thème. Il s'agit d'une revue bibliographique descriptive avec une approche qualitative visant à analyser les pratiques de soins des infirmières en ET. La recherche s'est appuyée sur des données virtuelles provenant de sites de recherche documentaire tels que Google Scholar, Latin American and Caribbean Literature in Health Sciences (LILACS), Scientific Electronic Library Online (SciELO), le site web de la SOBEST, la revue ESTIMA et des livres. Parmi les articles analysés figuraient ceux datant de 2003 à 2017, en portugais, disponibles sur Integra pour un accès en ligne en utilisant les descripteurs suivants : stomathérapie, histoire de la stomathérapie, soins de stomathérapie, soins infirmiers. Les résultats de la recherche montrent que les infirmières sont des professionnels de la santé techniquement compétents et dotés de compétences spécifiques pour exercer leurs fonctions en tant que thérapeutes entérostomatiques. Ainsi, cette étude vise à fournir aux professionnels de la santé des réflexions sur le champ d'action, l'origine et l'évolution, ainsi que les principaux soins de l'infirmière stomathérapeute, en démontrant son importance dans le processus de prévention de la perte de l'intégrité cutanée, ainsi qu'en envisageant les soins holistiques pour l'être humain dans sa plénitude.

**Mots-clés :**       Stomathérapie  ;  Histoire  de  la  stomathérapie  ;  Soins  de stomathérapie
stomathérapie ; soins infirmiers.

# RÉSUMÉ

# 1 INTRODUCTION

Au fil du temps, la préoccupation pour l'intégrité physique de la peau et le traitement des plaies sont devenus une partie importante des soins de santé humaine. La recherche de connaissances et de pratiques permettant de rétablir la santé de la peau s'est intensifiée, ce qui a rendu encore plus nécessaire la présence d'un professionnel spécialisé dans le traitement des plaies, donnant ainsi naissance à la stomathérapie en soins infirmiers (FERREIRA, CANDIDO, CANDIDO, 2010).

Il existe aujourd'hui sur le marché une grande variété de pansements et de couvertures pour le traitement des plaies chroniques et complexes, ainsi qu'une grande variété de dispositifs pour aider les patients stomisés et les patients souffrant d'incontinence, ce qui nécessite un professionnel qualifié qui sait comment utiliser correctement tous ces matériaux.

Dans l'histoire des soins infirmiers, la profession a gagné de l'espace et de l'autonomie dans le traitement des plaies, devenant plus technique et spécifique, assumant de nouvelles responsabilités et compétences dans le processus de soins aux patients. Ils doivent évaluer et indiquer les pansements appropriés, prendre des décisions importantes concernant le traitement et offrir un soutien et une aide émotionnelle au patient (FERREIRA, CANDIDO, CANDIDO, 2010).

La stomathérapie est une spécialité des soins infirmiers qui couvre les soins préventifs et de rééducation pour les personnes souffrant de stomies, de plaies aiguës et chroniques et d'incontinence anale et urinaire. Il s'agit d'un domaine des soins infirmiers qui vise à améliorer la qualité de vie du patient en lui offrant des soins holistiques et thérapeutiques. L'infirmière stomathérapeute (ET) est la professionnelle formée pour prodiguer des soins visant à maintenir l'intégrité de la peau (COSTA ; BRITO ; COSTA, 2013).

C'est le spécialiste qui a l'autonomie de promouvoir des consultations systématisées, d'évaluer et d'analyser de façon continue, de donner des conseils sur les soins diététiques, de posséder la technique pour réaliser des pansements spécifiques et, si nécessaire, d'orienter vers d'autres professionnels, contribuant ainsi à la prise en charge pluriprofessionnelle et garantissant la qualité des soins. Il est primordial que les professionnels se recyclent pour mettre à jour leurs connaissances et leurs techniques (YAMADA et al, 2009).

Le développement historique de la stomathérapie a commencé en 1961, lorsque les premiers stomathérapeutes ont été formés dans le monde entier. Au Brésil, la spécialisation n'a eu lieu qu'en 1990, Vera Lucia C.G. Santos étant le précurseur de la formation au Brésil. En 1992, la Société brésilienne de stomathérapie (SOBEST) a été créée, contribuant à réglementer le cours et à étendre la spécialisation dans le pays (DIAS, PAULA, MORITA, 2014).

La SOBEST se basera sur les aspects éthiques et légaux de la pratique professionnelle de la stomathérapie dans le but de rassembler tous les professionnels, de les former avec un enseignement standardisé, de promouvoir l'amélioration continue, afin d'assurer la qualité de l'éducation en stomathérapie. Une étape importante a été la création du magazine ESTIMA, un outil important pour la mise à jour des professionnels (DIAS, PAULA, MORITA, 2014).

Des études montrent qu'il y a une influence positive des soins en ET sur le rétablissement des patients dans différentes parties du monde (BORGES, 2016). Cela pose la question de savoir quelles seraient les pratiques de stomathérapie pour les professionnels infirmiers et, face à cette problématique, la réponse sera d'aborder les compétences techniques des infirmiers en ET, leurs fonctions principales et leur autonomie dans le poste.

Il s'agit d'une spécialisation en soins infirmiers qui a le vent en poupe. La trajectoire de la stomathérapie dans le pays a parcouru un long chemin et aujourd'hui elle est beaucoup plus répandue et il y a plusieurs endroits qui offrent le cours de spécialisation. Il est désormais reconnu que le soin des plaies et l'utilisation correcte des pansements, ainsi que le choix du pansement, relèvent de la responsabilité de l'ET.

Il est essentiel de comprendre que les patients souffrant de plaies, de stomies et d'incontinence ont besoin de soins différenciés, ce qui exige des professionnels une connaissance plus large des pratiques de soins en stomathérapie. C'est pourquoi il est essentiel de mener des études et des recherches sur le sujet afin de développer et d'élargir les dispositifs pour garantir les meilleurs soins aux utilisateurs.

L'intérêt de ce travail réside dans la possibilité de contribuer à l'amélioration de la qualité de la prise en charge des patients porteurs de plaies, de stomies ou d'incontinence par les professionnels de santé, notamment les professionnels de l'ET, en vue d'une prise en charge plus qualifiée. Il met également en avant l'autonomie du professionnel, ainsi que la clarification de ses principales compétences dans le processus de rééducation du patient stomisé.

Cette recherche se justifie pour contribuer aux connaissances des professionnels de la santé, en particulier des infirmières, sur le sujet proposé, puisque les infirmières sont les professionnels qui s'occupent directement du soin des plaies. Dans ce contexte, cette étude résume les principaux soins infirmiers de la TE. Elle met également l'accent sur la conduite à tenir par l'infirmière pour assurer l'excellence des soins.

La rareté des recherches sur la stomathérapie a motivé une étude exploratoire pour analyser la production scientifique sur ce sujet. Il s'agit d'une étude bibliographique descriptive avec une approche qualitative qui analyse les pratiques de soins infirmiers en stomathérapie.

Cette recherche a sélectionné des articles sur la base de données virtuelles provenant de sites de recherche de littérature et de livres. Nous avons utilisé des études trouvées sur Google Scholar, Latin American and Caribbean Literature in Health Sciences (LILACS), Scientific Electronic Library Online (SciELO), le site web de la SOBEST, Revista Estima au cours des quatorze dernières années (2003 - 2017).

La collecte des données a été réalisée par des étudiants de juillet 2016 à avril 2017. 41 articles et 3 livres ont été trouvés. Les mots suivants ont été utilisés comme descripteurs : stomathérapie, histoire de la stomathérapie, soins de stomathérapie, soins infirmiers.

Parmi ces articles analysés, seuls vingt-six répondaient aux critères établis sur la base des titres et des résumés pour obtenir les résultats et la discussion, à savoir des articles publiés entre 2003 et 2017 et qui répondaient aux objectifs du thème proposé. Les articles ont été organisés dans une base de données où ils ont été sélectionnés et lus dans leur intégralité.

Pour préparer cette analyse documentaire, les étapes suivantes ont été suivies : définition de la question directrice (problème) et des objectifs de la recherche ; établissement de critères d'inclusion et d'exclusion pour les publications (sélection de l'échantillon) ; recherche documentaire ; analyse et catégorisation des études, présentation et discussion des résultats.

Cette étude a porté sur les articles publiés entre 2003 et 2017, indexés dans les bases de données sélectionnées en portugais, qui traitaient des étapes historiques de la stomathérapie, des principales compétences et des soins prodigués par les infirmières en ET. Les publications publiées avant 2003 qui ne répondaient pas aux objectifs proposés n'ont pas été incluses dans cette étude.

Ainsi, cette étude vise à fournir aux professionnels de la santé une réflexion sur le champ d'action, l'origine et l'évolution, ainsi que les principaux soins de l'infirmière ET, en démontrant son importance dans le processus de prévention de la perte de l'intégrité cutanée.

## 1.1. Problème de recherche

Quelle est la pratique des soins infirmiers en stomathérapie ?

## 1.2. Objectifs

Généralités :

Identifier le rôle des infirmières dans le soutien à la stomathérapie dans les productions scientifiques.

Spécificités :

- Décrire l'origine et l'évolution historique de la stomathérapie ;
- Identifier le rôle de l'infirmière stomathérapeute ;
- Décrire les soins infirmiers prodigués au stomathérapeute.

## 2 HISTOIRE ET ÉVOLUTION DE LA STOMATHÉRAPIE

La spécialité de stomathérapie est née avec l'histoire de la médecine, et dès lors certains termes dérivés du grec ont défini ce qu'était la stomie, stoma " qui signifie bouche ou ouverture, pour indiquer l'extériorisation de tout viscère creux à travers le corps ou pour diverses causes " (SANTOS, 2015, p.1). Dans l'Antiquité, vers 300 avant Jésus-Christ, des écrits rapportent que c'est Praxagoras qui a pratiqué les premières opérations pour des traumatismes abdominaux (SANTOS, 2015).

Les stomies intestinales se caractérisent par " l'extériorisation de l'iléon ou du côlon vers le milieu extérieur à travers la paroi abdominale " (ROCHA, 2011,      p.51).

E

Rappelons qu'une colostomie "fait communiquer le côlon (gros intestin) avec l'extérieur", qu'une iléostomie "fait communiquer l'intestin grêle avec l'extérieur" (MORAIS, 2009, p. 8-9) et qu'une urostomie est une intervention qui vise à modifier la voie normale de l'urine (MORAIS, 2009, p.10).

En 1710, la stomie est idéalisée grâce à l'examen nécropsique d'Alex Littre, qui découvre que l'intestin peut être exposé et collé à la paroi de l'abdomen sans aucune perte pour le patient. A ce titre, il est considéré comme le "père de la colostomie" (SANTOS, 2015).

La première opération de colostomie rapportée dans l'histoire suscite quelques doutes, car des rapports datant de 1750 indiquent qu'elle a été pratiquée sur une femme souffrant d'une hernie incarcérée, mais d'autres rapports indiquent que Pillore a été le premier à pratiquer la première opération de stomie (SANTOS, 2015).

Comme l'indiquent Zampire et Jatoba (apud SANTOS, 2015, p.2) :

> La colostomie à lambeau avec poteau de soutien a été introduite par Maydl en 1883, tandis que la colostomie à deux bouches séparées par des segments de peau a été proposée par Block en 1892 et par Witzel en 1894. Au tournant du siècle, la technique de Paul et Miculiez a proposé la colostomie en "canon de fusil" dans laquelle les lambeaux distal et proximal sont disposés parallèlement l'un à l'autre et perpendiculairement à la paroi abdominale. Ainsi, la première iléostomie répertoriée a été réalisée en 1879 et, plusieurs années plus tard, Baum a pratiqué l'opération comme une forme de dérivation temporaire sur un patient atteint d'un cancer obstructif du côlon ascendant, qui est décédé. Le premier patient à survivre après la procédure d'iléostomie a été rapporté par Maydl, d'Autriche, en 1883, également opéré pour un cancer du côlon.

En 1930, le chirurgien McBurney a extériorisé l'iléostomie de la chirurgie principale. À partir de là, de nouvelles idées ont émergé, comme à la même époque,

Alfredo A. Strauss a fabriqué le premier sac de collecte pour les patients iléostomisés, qui a été perfectionné plus tard par un étudiant en chimie appelé Koening (SANTOS, 2015).

"Le dispositif était fait de caoutchouc adhérent qui recouvrait la stomie, empêchant le contenu de fuir vers la peau et fixé à celle-ci par une préparation en latex, et contenait un dispositif pour attacher une ceinture afin d'augmenter la sécurité" (SANTOS, 2015, p.3). Le système est devenu connu sous le nom de sac Strauss Koening Rutzen, qui a été largement accepté en 1940, même avec les limitations qu'il comportait encore (SANTOS, 2015).

L'année 1950 a vu le développement de l'équipement et de la chirurgie dans le domaine des stomies. À Londres, Brooke et à Cleveland, Turnbull propose la modification totale de la muqueuse iléale. Cette technique est encore utilisée aujourd'hui et contribue grandement au bien-être général de l'individu (SANTOS, 2015).

Par conséquent, le nombre de publications sur les patients stomisés a augmenté de plus en plus. Elles ne se réfèrent pas seulement aux techniques chirurgicales, mais aussi à la période post-opératoire et fournissent également des informations pertinentes sur la sexualité, le contrôle des odeurs, la grossesse et la rééducation (SANTOS, 2015).

D'après ce qui précède, de nouvelles techniques ont été utilisées après la découverte de Turnbull et Brooke. Pour contenir tous les types de stomies, tant intestinales qu'urinaires, des sacs de Kock ont été créés pour les iléostomies et les urostomies, et les colostomies ont été contenues par des anneaux musculaires et magnétiques (SANTOS, 2015).

En 1952, Turnbull découvre par hasard la plus grande avancée technologique jamais utilisée à l'époque : la poudre de Karaya. Celle-ci signifie "gomme au pouvoir absorbant", extraite d'un arbre que l'on trouve en Inde. Après avoir été utilisée sur plusieurs patients, elle a donné d'excellents résultats (SANTOS, 2015).

En raison de la grande efficacité de la gomme, Turnbull a contacté un ingénieur chimiste appelé Leonard Fenton pour produire un sac avec un anneau de ce produit afin qu'il puisse être utilisé dans la phase post-opératoire. C'est ainsi que "la première barrière cutanée péristomiale a été instituée, révolutionnant les soins de stomie" (SANTOS, 2015, p.4).

Il a été constaté que malgré l'évolution de la chirurgie de la stomie en termes de soins, il y avait toujours des conditions précaires et les systèmes de collecte étaient également défectueux. Ainsi, les personnes qui ont survécu après l'opération étaient isolées de la société, ne travaillaient pas et étaient malheureuses (SANTOS, 2015).

Comme indiqué précédemment, en raison du manque de connaissances sur les soins aux patients colostomisés en termes de santé physique, mentale et sociale, la première publication sur le sujet des "soins aux patients stomisés" a été réalisée par Du Bois, dans l'American Journal of Nursing, où l'auteur aborde la nutrition, les soins auto-administrés, l'emplacement de la stomie, parmi d'autres facteurs connexes (SANTOS, 2015).

Au début de l'évolution des soins infirmiers, depuis l'époque où les soins étaient prodigués par des religieux jusqu'à l'ère moderne, avec la pionnière des soins infirmiers Florence Nightingale, de nombreuses théories ont été créées et depuis lors, il y a eu une période de découverte et de nouvelles techniques. La profession s'est également développée avec les avancées technologiques et a cherché de nouvelles voies qui nécessitaient des connaissances et des compétences plus spécifiques pour améliorer sa pratique (DIAS, PAULA, MORITA, 2014).

Selon Dias, Paula et Morita (2014), l'histoire de la stomathérapie peut être séparée en deux phases : la première phase comprend l'âge antique jusqu'en 1949 et la seconde phase comprend les années 1950 jusqu'à aujourd'hui, lorsqu'elle a été reconnue comme une spécialité. Ce premier moment a commencé à définir le profil général de la stomathérapie, qui comprend également deux événements : "l'évolution des techniques chirurgicales pour les stomies et la création d'appareils à l'usage des stomisés". Le deuxième moment a vu la création de groupes de personnes stomisées, ainsi que le progrès des appareils technologiques.

En 1955, l'infirmière danoise Elise Sorense a créé la première poche pour les patients stomisés, contribuant ainsi au premier rapport infirmier sur les soins aux stomisés. Dès cette époque, il était clair que les patients stomisés avaient bien d'autres besoins que la chirurgie ; une attention particulière était nécessaire pour leur rééducation, qui comprenait les soins post-opératoires ainsi que des aspects liés à la sexualité, au maintien de l'intégrité de la peau et à la manipulation correcte de la poche (DIAS, PAULA, MORITA, 2014).

Avec tous ces événements, le chirurgien Rupert Turnbull a engagé Norma Gill, qui était iléostomisée et avait de l'expérience dans le domaine, puisqu'elle s'était occupée de sa grand-mère colostomisée pendant deux ans, pour travailler avec lui en tant que technicienne de stomie (YAMADA, ROGENSKI, OLIVEIRA, 2003). Outre l'emplacement du sac, d'autres facteurs doivent également être pris en compte, tels que le bien-être physique et émotionnel de la personne stomisée.

La stomathérapie est une spécialité récente, née officiellement en 1961 à la Cleveland Clinic Foundation - aux Etats-Unis d'Amérique, et instituée comme le premier cours au monde (YAMADA, texte numérique). Elle a ensuite formé des infirmières à la réalisation de soins et des étudiants stomisés.

Certaines étapes importantes ont été la fondation de la première organisation de thérapeutes entérostomiens par le biais de la North American Association of Enterostomal Therapists (NAAET) en 1968, ainsi que l'émergence de l'International Association for Enterostomal Therapy (IAET) en 1971, qui est actuellement la Wound, Ostomy and Continence Nursing Society - WOCN (DIAS, PAULA, MORITA, 2014).

2.1 Histoire de la stomathérapie au Brésil

Bien que nous sachions que les débuts de la stomathérapie au Brésil ont été officialisés par le cours de spécialisation en soins infirmiers, d'autres mouvements dans d'autres pays ont contribué à son développement et à son expansion. Au Canada et aux États-Unis, dans les années 1970, on a créé une nouvelle façon d'organiser les soins aux stomisés, en termes de soins et d'appareillages plus appropriés. Des professionnels de différents domaines, en particulier des infirmières, se sont mobilisés pour améliorer leurs compétences techniques et scientifiques (SANTOS, 2015).

Par conséquent, dans les années 1980, des professionnels des soins infirmiers se sont rendus dans des pays tels que les États-Unis, la Colombie et l'Espagne pour se spécialiser et, à leur retour, ils ont contribué à la qualification d'autres professionnels et les ont motivés à travailler avec des stomisés (SANTOS, 2015).

Parallèlement à ces événements, " le mouvement des associations de personnes stomisées s'est renforcé avec la création de la Société brésilienne des personnes stomisées (SOB), qui a atteint certains objectifs liés à l'achat et à la distribution de dispositifs " (SANTOS, 2015).

Au Brésil, avec les progrès de la stomathérapie, il y a eu plusieurs points importants dans l'évolution de la spécialité, et en 1961, le premier congrès a été organisé pour former les compétences techniques dans les stomies. La plupart des personnes qui cherchaient à obtenir cette qualification étaient des patients stomisés, qui avaient besoin de connaissances et de compétences axées sur le problème en question, en acquérant des techniques et des soins spécifiques (CESARETTI, LEITE, 2015).

La même année, le service de stomathérapie abdominale a été créé à l'hôpital Fergusondroste - Ferguson, qui a collaboré au développement de la spécialité, avec des études visant à améliorer la qualité de vie des patients stomisés (CESARETTI, LEITE, 2015).

En 1968, la North American Association of Enterostomal Therapists (NAAET) a été créée et est devenue en 1971 l'International Association for Enterostomal Therapy (IAET), qui a établi des normes qui allaient conduire les soins infirmiers à fournir de nouvelles études visant à promouvoir la qualité de vie et des techniques destinées spécifiquement aux soins infirmiers (CESARETTI, LEITE, 2015).

Avec les progrès de la stomathérapie, la demande pour cette spécialité a été importante, avec 351 professionnels qui se sont spécialisés en 1973 avec le Programme d'apprentissage de la santé, cherchant à qualifier les professionnels. Avec l'augmentation du nombre de professionnels formés, on a commencé à exiger d'eux qu'ils possèdent les connaissances techniques, la théorie scientifique et les compétences nécessaires pour fournir des soins sûrs aux stomisés (CESARETTI, LEITE, 2015).

Le Club des stomisés a été fondé à Fortaleza en 1975. En 1978, le besoin d'un organisme responsable s'est fait sentir et le Word Council Of Enterostomal Therapists - An Association Of Nurses (WCET) a été créé, un organisme qui représentait le monde entier, qui permettait un échange de connaissances entre les professionnels, améliorant ainsi leurs compétences et recherchant une norme entre eux, dans le but de fournir des soins de qualité aux personnes stomisées, blessées et souffrant d'incontinence anale et urinaire (DIAS, PAULA, MORITA, 2014).

En 1985, la Société brésilienne des stomisés (SOB) a été fondée et a joué un rôle important auprès du gouvernement, en contribuant à la distribution et à l'achat de sacs et d'autres avantages pour les utilisateurs, facilitant ainsi leur vie. Parallèlement, la stomathérapie a franchi des étapes importantes dans le pays : La formation des premiers stomathérapeutes, la création du cours de spécialisation en stomathérapie dans le domaine des soins infirmiers et la fondation de la Société brésilienne de stomathérapie : Ostomisés, Plaies, Incontinence - SOBEST (DIAS, PAULA, MORITA 2014).

La première infirmière stomathérapeute au Brésil a été Gelse Zerbeto, et Vera Lucia Conceigao de Gouveia Santos, qui a fondé le premier cours de spécialisation au Brésil, à l'Université de Sao Paulo - USP (YAMADA, texte numérique).

Le cours de spécialisation en soins infirmiers en stomathérapie comporte certains aspects de formation qui suivent des lignes directrices où il doit avoir : une charge théorique-pratique minimale de 360 heures, le cours peut avoir lieu à temps plein, à temps partiel ou à distance, le contenu du programme doit être enseigné par des spécialistes dans le domaine qui doivent suivre la normalisation suivante comme : "stomathérapie, soins infirmiers, administration, dermatologie, gastro-entérologie, soins à domicile et soins palliatifs, nutrition, oncologie, pharmacie, médecine (coloproctologue), entre autres" (YAMADA, ROGENSKI, OLIVEIRA, 2003).

En 1984, un petit groupe d'étude faisait des recherches et des découvertes sur les stomies, et c'est ainsi que la SOBEST a été créée par des étudiants qui s'appelaient à l'époque le Clinical Interest Group in Stomatherapy Nursing - GICEE (SANTOS, 2015).

L'évolution de la stomathérapie s'est accompagnée de plusieurs découvertes sur les stomies et de nombreuses études sur le sujet. Un congrès sur les stomies a été organisé et la nécessité d'un organisme responsable de la stomathérapie en tant que spécialité a été réalisée. C'est pourquoi la SOBEST a été officiellement créée au Brésil en 1993 (SANTOS, 2015). En 2005, le nom Société a dû être changé en Association, en raison du nouveau code civil brésilien (DIAS, PAULA, MORITA, 2014).

Au fil de l'histoire de la stomathérapie, des améliorations importantes ont été apportées à la qualité des soins, ainsi qu'à l'enseignement et à la recherche dans ce domaine, ce qui a permis de renforcer les fonctions du spécialiste et de caractériser le profil de l'infirmière spécialisée en stomathérapie. Il s'agit d'une spécialité en plein essor et qui dispose d'un vaste marché de l'emploi, car elle offre un large éventail d'options, allant de l'enseignement à la consultation, en passant par l'administration (DIAS, PAULA, MORITA, 2014).

## 3 LE RÔLE DE L'INFIRMIÈRE STOMATHÉRAPEUTE

Depuis l'aube des soins infirmiers, les soins aux patients ont considérablement évolué, comme on l'a vu depuis l'époque de Florence Nightingale. Cette évolution a influencé le développement technique et scientifique de compétences et de fonctions spécifiques visant à "prévenir la santé, développer le contrôle et la prise de décision, l'indépendance, maintenir ou reconstruire l'identité de l'individu confronté à la maladie" (SANTOS, 2015, p. 6).

> L'infirmière stomathérapeute est une infirmière spécialisée (diplôme latu sensu) dans ce domaine, dont les cours sont reconnus par la Société brésilienne de stomatologie (SOBEST) et/ou le Conseil mondial des thérapeutes entérostomiens (WCET). Ces infirmiers fournissent une assistance aux personnes souffrant de stomies, de fistules, de tubes, de cathéters et de drains, de plaies aiguës et chroniques et d'incontinence anale et urinaire, dans les aspects préventifs, thérapeutiques et de réadaptation, afin d'améliorer la qualité de vie (BRASIL, Ordonnance n° 620, 2010).

La spécialisation est considérée comme un moyen d'assurer l'autonomie professionnelle en matière de connaissances théoriques et pratiques, en cherchant à garantir une meilleure qualité dans l'exercice de la fonction, ce qui contribue à accroître la qualité et la satisfaction des clients (SANTOS, 2015). Le professionnel qui a de l'autonomie est celui qui parvient à dominer son espace de travail, en élargissant ses connaissances professionnelles et en restant confiant dans ses capacités (FERREIRA, CANDIDO, CANDIDO, 2010).

Les éducateurs doivent être conscients que leur autonomie ne se limite pas à choisir la méthode de traitement la plus appropriée, mais qu'ils doivent avoir une vision holistique du patient, en contribuant à répondre à ses besoins fondamentaux, qu'ils soient physiques, mentaux ou sociaux, car les personnes souffrant d'une plaie, d'une stomie ou d'une incontinence nécessitent une prise en charge globale, exigeant un suivi différencié (FERREIRA, CANDIDO, CANDIDO, 2010).

Ferreira, Bogamil, Tormenta (2008), cité par Costa, Brito, Costa (2013, p.1942), le choix d'une couverture, d'une crème ou d'une solution pour une blessure est un exemple de la pratique de l'autonomie au sein des soins infirmiers, où le professionnel est en mesure de mener ses actions de promotion, de prévention et de réadaptation de manière beaucoup plus efficace. Les infirmières ne devraient agir de la sorte que si elles sont techniquement compétentes et capables d'exercer leurs fonctions de manière responsable et indépendante (FERREIRA, CANDIDO, CANDIDO, 2010).

On parle de spécialiste en soins infirmiers lorsque le professionnel est diplômé en soins infirmiers généralistes et qu'il se spécialise dans un domaine spécifique, devenant ainsi dominant en la matière. "La pratique spécialisée comprend des rôles cliniques, d'enseignement, d'administration, de recherche et de conseil" (SANTOS, 2015, p. 7). Ainsi, les études de troisième cycle en soins infirmiers garantissent la progression des soins et fournissent une base formelle et scientifique avec une compétence exclusive dans le domaine de spécialisation (SANTOS, 2015).

Avec l'avènement de tant de technologies qui caractérisent la société moderne d'aujourd'hui, il y a un besoin d'infirmières spécialisées qui ont des connaissances complètes et sont capables d'avoir une vision plus détaillée des soins que les infirmières non spécialisées (YAMADA ; ROGENSKI ; OLIVEIRA, 2003). Il est donc essentiel que les personnes intéressées par le domaine de la stomathérapie suivent une formation spécialisée auprès des organismes compétents.

Comme toute spécialité étudiée, la stomathérapie possède un modèle qui détermine l'identité du professionnel. Celui-ci a été développé en 1980 par Houle et définit que le professionnel doit avoir une fonction établie, jouer un rôle dans la résolution des problèmes rencontrés, ainsi que s'engager dans ses propres décisions. En ce sens, la construction avec les organismes qui représentent la profession définit une identité collective (SANTOS, 2015).

Les thérapeutes doivent donc s'approprier leur rôle afin de garantir l'amélioration des soins individuels et collectifs qu'ils dispensent, étant donné que leur clientèle est vaste, en se rappelant de toujours fonder leurs actions sur des connaissances scientifiques (SANTOS, 2015).

Selon Santos (2015, p. 8), l'ET s'est vu assigner des tâches qui déterminent ses actions, telles que :

> • **la fonction de soins et d'assistance spécialisée** : elle englobe les activités de soins individualisés dans les phases pré- et post-opératoires immédiates, intermédiaires et tardives, visant à la réadaptation et à la qualité de vie sur la base des principes philosophiques de l'autosoin et de l'intégration avec la famille et l'équipe interdisciplinaire. Il s'agit non seulement de s'occuper des problèmes réels et potentiels, mais aussi de prendre des mesures préventives et de dispenser des soins à long terme ;
>
> • **fonction éducative ou d'enseignement** : comprend les activités éducatives formelles et informelles destinées au patient, à sa famille et à la communauté, aux infirmières et aux équipes infirmières et interdisciplinaires, ainsi que l'élaboration de protocoles de suivi et de programmes d'enseignement, de même que des publications ;

• **la fonction de recherche** : elle comprend le développement de la recherche liée à la technologie des soins en stomathérapie et l'évaluation des protocoles de soins et des dispositifs spécifiques (dans le cadre de leur amélioration et de leur création) ;

• **fonction administrative** : elle vise à contrôler et à évaluer l'assistance et l'organisation, y compris la planification et l'organisation des programmes et services d'assistance, la planification et la distribution des ressources humaines et matérielles, ainsi que les services de consultation et de conseil ;

• **le développement professionnel** : implique la participation à des activités de formation continue, de mise à jour et de recyclage, ainsi que la recertification périodique dans la spécialisation.

L'ergothérapie a un vaste champ d'activité qui ne se limite pas à prendre soin de l'intégrité de la peau, par exemple, mais de l'être humain dans tous les domaines de sa vie. De plus, le soutien d'une équipe pluridisciplinaire est essentiel, impliquant non seulement le patient, mais aussi la famille dans son ensemble (FERREIRA, CANDIDO, CANDIDO, 2010).

La stomathérapie ne se définit pas seulement par les soins physiques et la rééducation du patient. Cependant, les soins englobent les valeurs et les croyances de l'individu, et il est de la responsabilité du professionnel de s'assurer que tous les droits et besoins sont satisfaits de manière complète pour le patient (FERREIRA, CANDIDO, CANDIDO, 2010).

Le domaine de la stomathérapie fait partie du système international de soins, cherchant à assurer la pleine satisfaction de ces personnes en termes de soins et de ressources offertes. Ainsi, les personnes ayant des besoins particuliers ont droit à des soins complets spécialisés guidés par l'ET (CESARETTI, LEITE, 2015).

"L'ET a la double responsabilité de fournir des soins spécialisés à des personnes ayant des besoins spécifiques et de partager ses compétences et ses connaissances avec d'autres professionnels (CESARETTI, LEITE, 2015 p.25).

Ce domaine étant peu exploré, il existe un besoin évident de spécialistes, d'où la nécessité d'encourager la recherche et la mise en place de programmes de formation. C'est pourquoi la recherche doit être encouragée, ainsi que l'existence de programmes de formation, afin de mieux connaître la spécialité et d'améliorer les connaissances des professionnels déjà qualifiés pour garantir les soins prodigués (CESARETTI, LEITE, 2015).

Santos (2001 apud PAULA ; SANTOS, 2003) affirme que l'ET est un professionnel qui possède les connaissances et la formation nécessaires pour exercer des compétences et des techniques dans le domaine des soins aux personnes souffrant de stomies, de plaies et d'incontinence. Le spécialiste a un champ d'action très large dans sa réalité, mais les difficultés sont également grandes dans l'exercice de son rôle au sein d'une institution, il est donc important de comprendre quel est le rôle de l'ET et comment il peut exercer ses compétences de manière satisfaisante.

Il apparaît clairement que l'ET a une grande importance et qu'elle fait son chemin, car il s'agit d'une spécialisation en plein essor. Les objectifs doivent être bien définis afin qu'une nouvelle vision de l'infirmière en ET puisse être acquise dans la société et partout où elle est insérée, étant donné qu'elle est une professionnelle exclusive, élémentaire et cruciale pour l'exercice de la santé dans le pays (PAULA ; SANTOS, 2003).

# 4 PRINCIPAUX SOINS INFIRMIERS POUR LES STOMATHÉRAPEUTES

## 4.1. Zone de la stomie

Le mot "stomie" est d'origine grecque et signifie "bouche ou ouverture". "Il s'agit de toute extériorisation de viscères creux, tels que la trachée, l'estomac, l'intestin et les voies urinaires, dans le but d'alimenter ou d'éliminer des liquides et des effluents physiologiques" (CARVALHO, CARDOSO, 2014, p. 487).

Les stomies intestinales sont des ruptures de l'abdomen qui, selon leur localisation, peuvent changer de nomenclature : colostomie ascendante : pour les selles liquides ; colostomie transversale : pour les selles semi-liquides ; colostomie descendante : les selles sont formées ; colostomie sigmoïde : les selles sont fermes et solides. Elle est réalisée par un processus chirurgical et consiste à exposer le gros intestin sur la paroi abdominale (RODRIGUES et al, 2008).

Après le processus chirurgical, de nombreux changements commencent à apparaître dans le mode de vie des patients stomisés. Certains patients n'acceptent pas leur nouveau mode de vie, car certains aspects tels que l'alimentation, l'habillement et d'autres habitudes personnelles changent et tout cela se produit en conséquence de leurs émotions, de leur anxiété, des conflits quotidiens, des problèmes physiologiques et psychosociaux, de leurs anciennes habitudes, de leurs valeurs et croyances, de la peur d'être rejetés, tout cela contribuant à l'isolement du patient et pouvant également se transformer en dépression (SOUZA et al, 2012).

Compte tenu de toutes ces situations vécues par le patient, on constate qu'il est susceptible de subir de nombreuses complications s'il n'est pas accompagné dès le début du traitement, qui commence lorsque l'intervention chirurgicale est indiquée. Par conséquent, une assistance qualifiée est requise de la part d'un professionnel spécialisé tel qu'un ET qui doit avoir des compétences spécifiques pour les problèmes présentés ici (VASCONCELLOS, XAVIER, 2015).

L'ET est le professionnel capable d'aider ces clients et ses actions de santé pendant les soins doivent encourager l'autonomie et l'altruisme du patient, en l'aidant à vivre une vie plus noble (SOUZA et al 2012). L'ET a pour rôle d'aider la personne stomisée à se réinsérer dans la société en élaborant des plans de soins pour l'adaptation et l'acceptation, car le patient a tendance à s'exclure de la société et il est nécessaire de lui faire accepter sa nouvelle condition de vie (SOUZA et al 2012).

Après une intervention chirurgicale, des complications peuvent survenir au début ou quelque temps après l'opération. "Les complications précoces sont les suivantes : saignement, gonflement, ischémie, décollement, complications cutanéo-muqueuses et les complications tardives sont les suivantes : dermatite, sténose, hernie et prolapsus" (VASCONCELLOS, XAVIER, 2015, p.28). Il est important pour l'ET de promouvoir l'éducation à la santé auprès de la famille, en expliquant tout ce qui peut arriver au patient.

"L'ET et l'équipe infirmière doivent assister le client dans toutes les phases chirurgicales, de la délimitation de la stomie à sa préparation et dans la période postopératoire immédiate avec la visualisation de la stomie" (VASCONCELLOS, XAVIER, 2015, p.28).

L'ET est responsable de la consultation infirmière avec les patients stomisés dans la première phase de la période préopératoire, où il/elle devra utiliser des méthodes d'évaluation qui facilitent la systématisation des soins infirmiers en stomathérapie, en utilisant également des instruments dans l'évaluation physique, puisque c'est la responsabilité de l'infirmière de localiser la chirurgie, dans cette phase, le professionnel doit prendre en compte tous les antécédents du patient tels que la santé générale, l'examen sociodémographique et physique (YAMADA et al., 2009).

Il est essentiel de fournir au patient des conseils sur la procédure chirurgicale et de clarifier les doutes qu'il peut avoir, ainsi que de préparer l'équipement qui sera utilisé, les collecteurs et de réaliser des tests de sensibilité sur le matériel qui sera utilisé (YAMADA et al, 2009).

Dans la deuxième phase, qui est per-opératoire, il est nécessaire d'échanger des informations entre le chirurgien et l'ET dans la salle d'opération sur le matériel pour chaque type de stomie qui sera utilisé, garantissant ainsi que la stomie est réalisée dans la zone marquée, réduisant ainsi les taux d'infection et de complications (YAMADA et al, 2009).

Dans la troisième phase, qui est la période post-opératoire, qui peut être immédiate, l'ET doit effectuer des visites à domicile, évaluer l'apparence de la stomie, les résidus qui sont éliminés et vérifier les signes de complications possibles, prescrire les soins essentiels s'il y en a et encourager l'autosoin, aider la famille à aider le patient, leur faire prendre conscience qu'ils peuvent mener une vie normale, aidant ainsi le patient à avoir une bonne réhabilitation (YAMADA et al, 2009).

Dans la période post-opératoire tardive, le professionnel évalue l'état de la peau et l'apparition de complications et, le cas échéant, détermine les soins et l'équipement en cas de dermatite, de rétraction, de prolapsus et apprend au patient à s'auto-irriguer afin d'obtenir une rééducation plus adéquate, rapide et efficace (YAMADA et al, 2009).

Pour une bonne prise en charge infirmière qualifiée dans la rééducation des patients stomisés, réduisant ainsi les séquelles laissées par la chirurgie et ses conséquences, la phase de rééducation est développée par l'ET qui doit mettre l'accent sur l'autosoin, connaître ses limites et ses capacités, apprendre au patient à affronter ses peurs, ses fantasmes, rétablir ses conditions de vie, qui peuvent être réintégrées avec des traitements et des conseils appropriés, à travers des projets éducatifs visant la situation de chaque patient (SOUZA et al, 2012).

Les principales précautions sont les suivantes : surveiller la zone de la stomie à chaque changement de sac, faire toujours attention à la coloration, remarquer si la peau est irritée ou meurtrie pour éviter la nécrose et l'ischémie, empêcher les excréments d'entrer en contact avec la peau autour de la stomie, garder la zone propre et la désinfecter avec de l'eau et du savon (RODRIGUES et al, 2008).

Il faut toujours noter les modifications de la stomie et l'aspect des selles afin de voir si l'intestin fonctionne correctement et si le régime alimentaire est adapté. Utilisez toujours des collecteurs plus grands que la taille de la stomie afin qu'ils la recouvrent complètement, évitant ainsi le risque de lésions cutanées (RODRIGUES et al, 2008).

L'ET peut donner des conseils sur le type de régime alimentaire le plus approprié pour que l'intestin fonctionne plus efficacement et plus facilement pour la digestion, devrait aider le patient à améliorer son estime de soi et donner des conseils sur la vie sexuelle, car c'est un autre problème auquel beaucoup sont confrontés. Il s'agit d'un moment délicat qui nécessite que le professionnel apporte un soutien psychologique avec des conseils et des ajustements afin que le client et son partenaire puissent développer leurs activités sexuelles normalement (VASCONCELLOS, XAVIER, 2015).

4.2.   Zone de la plaie

La peau est un organe dont la fonction principale est de protéger les organes des agents extérieurs. Il existe différents agents causaux qui peuvent altérer l'intégrité de la peau, entraînant des blessures. Ces facteurs qui peuvent déclencher une blessure vont de la pression sur la peau à un traumatisme ou une intervention chirurgicale (MITTAG et al, 2017).

"Une plaie est représentée par l'interruption de la continuité d'un tissu corporel, à un degré plus ou moins important, causée par tout type de traumatisme physique, chimique ou mécanique ou déclenchée par un état clinique, qui active les fronts de défense organiques" (BRITO et al, 2013, p.415).

On sait que toute l'attention est essentielle lorsqu'il s'agit de soigner des plaies aiguës ou chroniques, car il s'agit d'une procédure complexe qui nécessite du dynamisme (BRITO et al, 2013). "Les plaies peuvent être classées comme aiguës ou chroniques en fonction du temps nécessaire à la réparation des tissus" (FRANQA, et al, 2015, texte numérique). Les plaies chroniques sont celles qui sont graves et qui ont un temps d'évolution rapide et pour leur traitement adéquat, les conditions qui prédisposent à une cicatrisation normale de la plaie doivent être prises en compte (BRITO et al, 2013).

En revanche, "les plaies aiguës sont le résultat d'une chirurgie et d'un traumatisme, où la réparation des tissus se produit dans une séquence et un temps appropriés, sans complications, conduisant à la restauration de l'intégrité anatomique et fonctionnelle" (FRANQA, et al, 2015, texte numérique).

Ainsi, les plaies sont classées en fonction de leur temps d'apparition dans les tissus, et lorsqu'elles sont aiguës, elles apparaissent soudainement avec une douleur locale, mais sans souffrance prolongée car elles sont de courte durée. Cependant, les manifestations cliniques des plaies chroniques vont de l'incapacité fonctionnelle aux changements psychosociaux affectant l'individu (BRITO et al, 2013).

" La prévention, l'évaluation et le traitement d'une plaie sont des responsabilités quasi exclusives des soins infirmiers. Il est essentiel de connaître les facteurs de risque, la physiologie, l'anatomie et le processus de guérison " (MITTAG, et al, 2017, p.20). Par conséquent, connaître les types de blessures et l'évolution technologique pour prévenir et traiter une plaie sont des connaissances fondamentales qui devraient être exigées du professionnel spécialisé en stomathérapie (MITTAG, 2017).

"La pratique des soins aux personnes souffrant de plaies est une spécialité des soins infirmiers, reconnue par la Société brésilienne des soins infirmiers en dermatologie - SOBEND et l'Association brésilienne de stomathérapie - SOBEST " (BRITO, et al, 2013, p.415). Le soin des plaies nécessite non seulement des connaissances dans le domaine étudié, mais aussi des compétences spécifiques et une attitude globale vis-à-vis de la personne atteinte de la plaie (BRITO, et al, 2013).

Il doit y avoir une stratégie de soins dans la profession d'ET afin d'obtenir une bonne réponse dans le traitement des lésions cutanées et leur prévention (MITTAG, 2017). Lors du traitement des plaies, il faut comprendre l'évolution du processus de cicatrisation, ainsi que le choix des médicaments (TIMBY, 2007 apud CARNEIRO, SOUSA, GAMA, 2010).

Il incombe à l'infirmière d'apprendre au patient à prendre soin de lui-même, de sorte que le processus de rétablissement prenne moins de temps. Par conséquent, ce professionnel est responsable du maintien de la santé de la zone blessée et il est de son devoir de guider le patient dans toutes les procédures à suivre (CARNEIRO, SOUSA, GAMA, 2010). "Évaluer une plaie signifie la décrire, enregistrer ses caractéristiques et sa phase évolutive, afin que la documentation clinique constitue une référence utile dans le traitement des plaies" (OROSCO, MARTINS, 2006, p.40).

Pour que la réparation des tissus soit satisfaisante ou non, diverses raisons, tant locales que systémiques, influencent l'évaluation du patient et de sa plaie. Au fur et à mesure que la cicatrisation progresse, certains facteurs sont pris en compte, tels que : la classification de la plaie, les mesures, les caractéristiques de la peau autour de la plaie, le degré d'infection, les caractéristiques du tissu dans la plaie, ainsi que l'âge, les facteurs psychologiques, la nutrition, entre autres (OROSCO, MARTINS, 2006).

4.2.1 Soins infirmiers pour les plaies (escarres, plaies diabétiques, plaies vasculogènes d'origine veineuse et artérielle, plaies neurotrophiques dues à la maladie de Hansen, entre autres)

"La compétence est l'application des aptitudes dans un contexte qui comprend l'évaluation, le diagnostic différentiel, l'élaboration et l'application d'un plan de soins et son évolution " (FERREIRA, CANDIDO, CANDIDO, 2010, p.658), de sorte que le professionnel compétent en matière de soins des plaies ne sera complet qu'avec l'application de la systématisation des soins infirmiers - SAE (FERREIRA, CANDIDO, CANDIDO, 2010).

La responsabilité du soin des plaies est attribuée à l'infirmière généraliste et à l'ET, comme indiqué ci-dessous :

Effectuer des consultations infirmières avec les usagers présentant des plaies (YAMADA et al, 2009). Évaluer la zone blessée et appliquer le traitement le plus approprié (CAMPOS, MORE, ARRUDA, 2008). Il faut prendre soin de la peau pour préserver son intégrité. "Demander des analyses biochimiques et hématologiques, et effectuer une rééducation vésico-intestinale si nécessaire" (YAMADA et al, 2009, texte numérique).

Des conseils doivent être donnés sur le régime alimentaire et l'apport en liquide et, si nécessaire, un nutritionniste doit être sollicité pour une évaluation (YAMADA et al, 2009). "Effectuer un débridement instrumental et conservateur, une culture de la plaie, une thérapie topique et auxiliaire (LASER, électrostimulation, thérapie par le vide et autres)" (YAMADA et al, 2009, texte numérique).

Dans le suivi du traitement des ulcères veineux, par exemple, les coûts des procédures doivent être évalués, de même que l'utilisation d'échelles comme méthode d'évaluation de la cicatrisation des ulcères. Le professionnel recueille un bref résumé des antécédents du patient concernant les membres inférieurs. Il est primordial de procéder à un examen physique et à une anamnèse afin d'établir un plan de soins et, par conséquent, d'analyser les résultats de leurs actions (SILVA et al, 2009).

"Examiner l'index cheville-brachial à l'aide d'un Doppler vasculaire périphérique. Effectuer les précautions podologiques (ongles, nettoyage des mycoses, coupe, correction des déformations, retrait des spicules)" (YAMADA et al, 2009, texte numérique). Les pieds doivent être bien soignés et s'il y a des cors ou des callosités, ils doivent être enlevés. Une autre mesure importante consiste à offrir un soutien émotionnel et mental (YAMADA et al, 2009).

Encourager la pratique d'exercices de renforcement musculaire des jambes, ainsi que l'alternance de repos et d'élévation des membres inférieurs. Effectuer un drainage lymphatique et utiliser des mesures compressives telles que la botte d'Unna ou la thérapie compressive (YAMADA et al, 2009). Dans le cas de la lèpre, enregistrer le formulaire de notification de la maladie/de l'enquête et, plus tard, afin d'identifier le degré et la localisation d'une éventuelle lésion nerveuse, examiner les pieds à l'aide d'un équipement facilitant la détection du problème (YAMADA et al, 2009).

Déterminer "les soins et les mesures préventives pour l'invalidité, ainsi que guider l'utilisation de chaussures et de semelles appropriées" (YAMADA et al, 2009, texte numérique). Les soignants chargés d'aider à soigner les patients souffrant de plaies doivent être guidés et supervisés par un spécialiste. Lorsque cela est indiqué, l'infirmière doit prescrire des couvertures, des solutions ou des crèmes pour panser les plaies (CAMPOS, MORE, ARRUDA, 2008).

"Effectuer des visites à domicile et rédiger des avis, et demander des examens complémentaires si nécessaire, tels que : hémogramme, sérum-albumine, glycémie et culture de l'exsudat avec antibiogramme" (CAMPOS, MORE, ARRUDA, 2008, p.60).

Former l'équipe en lui offrant la formation nécessaire, afin qu'elle puisse mettre en place une approche qui satisfasse les besoins fondamentaux du client et génère des professionnels à jour, tout en assurant une formation continue (TEIXEIRA, MENEZES, OLIVEIRA, 2016).

"Prévoir les produits de pansement envoyés par la demande mensuelle de réapprovisionnement au secteur des ressources" (CAMPOS, MORE, ARRUDA, 2008, p.57). Faire partie de l'équipe qui contrôle les produits d'habillage demandés et leur distribution.

En bref, la capacité à évaluer une zone blessée est la compétence technique d'une infirmière. De ce fait, les soins ne doivent pas se limiter à la plaie, mais doivent permettre de soigner pleinement cet être humain (FERREIRA, CANDIDO, CANDIDO, 2010).

4.3.   Zone d'incontinence

L'incontinence entraîne des changements physiques et sociaux majeurs. Elle se caractérise par la perte de la capacité à retenir ou à contrôler les matières fécales ou l'urine. Comme il s'agit d'un problème très courant, en particulier chez les personnes âgées, les infirmières gagnent du terrain en participant activement au traitement des patients incontinents (HONORIO, SANTOS, 2010).

La prise en charge d'une pathologie, quelle qu'elle soit, exige que le professionnel qui fournit le service dispose d'une base scientifique et pratique. Pour l'ET, il en va de même : ils doivent comprendre le fonctionnement des fuites urinaires/anales, ainsi que le mécanisme de la continence et les traitements possibles du problème, allant de la chirurgie au traitement conservateur ou même pharmacologique. Ils doivent indiquer le traitement le plus approprié pour chaque patient, afin de fournir un service de qualité, en aidant le patient et sa famille à faire le meilleur choix de traitement (HONORIO, SANTOS, 2010).

L'incontinence est un problème qui entraîne des conséquences non seulement physiologiques, mais aussi psychologiques et sociales, car il s'agit d'un problème qui génère de la gêne et de la honte. C'est pourquoi il est nécessaire que le professionnel établisse un lien, respecte le patient et lui offre la possibilité d'interagir avec lui (HONORIO, SANTOS, 2010).

Selon l'*International Continence* Society, l'incontinence urinaire (IU) est définie comme une condition dans laquelle il y a une perte involontaire d'urine, ce qui génère un problème social ou hygiénique (VALENQA et al 2016, p.44). L'intervention de l'infirmière permet de reconnaître les besoins des patients incontinents urinaires et contribue ainsi à ce que le professionnel puisse mettre en place les soins nécessaires à leur traitement (MATA et al, 2014).

Parmi les nombreuses formes de traitement de l'IU, on peut citer l'entraînement du plancher pelvien, le biofeedback et les changements comportementaux (HONORIO, SANTOS, 2010). Selon Valenpa et al (2016), les études montrent que les soins infirmiers peuvent être divisés en 4 catégories :

**L'éducation à la santé :** comprend le soutien qui aide les patients à prendre soin d'eux-mêmes, de sorte que le processus "d'adaptation, de réadaptation, d'adaptation et d'acceptation du traitement" soit mieux respecté (VALENQA et al, 2016, p. 47). Des études soulignent également que cela peut améliorer l'estime de soi, l'indépendance et l'interaction sociale (LOCKS, 2013) ;

**Soutien psycho-émotionnel** : "L'IU a une influence négative sur la vie émotionnelle, sexuelle, sociale et psychologique des partenaires des personnes incontinentes (VALENQA et al, 2016, p. 47). Il est clair qu'il faut non seulement s'occuper de l'aspect physique, mais il est également important de penser à l'aspect psychosocial, car il est très fréquent de rapporter " de l'embarras, de la peur, des changements de comportement et de mode de vie face à l'IU (MATA et al, 2014, p. 3194) ". Il est également utile de rappeler que la participation à des groupes de soutien pour partager des expériences est intéressante pour ce public et doit être encouragée par les infirmières (VALENQA et al, 2016).

**Traitement comportemental** : technique qui permet de modifier les habitudes du patient afin d'améliorer la perte d'urine. Parmi les changements figurent les habitudes alimentaires (HONORIO, SANTOS, 2010). Les changements de comportement et de mode de vie, en encourageant l'exercice physique, la réduction du poids corporel et le renforcement des muscles du plancher pelvien (VALENQA et al, 2016).

**La systématisation des soins infirmiers** : elle met en évidence les consultations infirmières comme un moyen d'investigation, de planification des soins, d'aide à la décision thérapeutique, de suivi de la famille, un temps d'évaluation des changements de mode de vie, d'élaboration de plans de soins individuels et spécifiques (VALENQA et al, 2016).

Étant donné les alternatives possibles pour le traitement de l'IU de manière non chirurgicale, non pharmacologique et non invasive, ces alternatives peuvent être mises en œuvre par l'ET :

**Agenda mictionnel et miction programmée** : le premier est d'une importance capitale pour les infirmières afin de mieux évaluer et intervenir pendant et après le traitement. Il "fournit des informations importantes telles que les habitudes de consommation d'eau et d'urine, les volumes ingérés et éliminés, ce qui permet également d'identifier le type d'incontinence" (LOCKY, 2013, p.43). La miction programmée, quant à elle, est un moyen de guider et de modifier les habitudes de miction, en encourageant les patients à programmer leurs visites aux toilettes (LOCKY, 2013).

**Modifications de l'environnement et de l'habillement : pour** énumérer les aspects structurels de l'espace de la salle de bains, il faut qu'il soit le plus accessible possible afin de réduire les obstacles qui pourraient gêner les mouvements, tels que les objets qui se trouvent sur le chemin. La pièce doit être lumineuse, propre et dotée d'une sortie d'air. De plus, pour améliorer la sécurité des patients, l'utilisation de barres d'appui et de sols antidérapants permet d'améliorer le soutien et l'accès à la salle de bains. En ce qui concerne l'habillement des patients souffrant d'urgence urinaire, il est préférable d'utiliser des vêtements faciles à ouvrir et à enlever (LOCKY, 2013).

**Alimentation et consommation d'eau** : les patients doivent être encouragés à modifier leurs habitudes alimentaires, car certains aliments sont connus pour irriter la vessie, ce qui peut compromettre les fuites, comme les boissons caféinées, les boissons gazeuses, les aliments acides, les saucisses et les aliments épicés. Il est également important de renforcer la consommation d'eau, car cela contribuera également au bon fonctionnement de l'intestin, en évitant des problèmes tels que la constipation, en combinaison avec la consommation de fibres et en ayant des heures fixes pour aller à la selle (LOCKS, 2013).

**Exercices périnéaux :** il s'agit d'exercices qui vont permettre de consolider les muscles pelviens, augmentant ainsi la résistance périurétrale, ce qui permet de réduire ou d'éliminer les fuites urinaires. Il s'agit d'exercices qui consistent en " la contraction et le relâchement des muscles du plancher pelvien, pendant des temps et des intervalles préétablis " (LOCKS, 2013, p. 45).

**Biofeedback :** " Il s'agit d'une méthode d'enseignement démonstrative basée sur un instrument informatisé qui peut être utilisé pour aider le patient à exécuter et à contracter correctement les muscles périnéaux " (LOCKS, 2013, p. 45).

**Exercices périnéaux avec résistance :** il s'agit d'exercices réalisés avec un support de cônes vaginaux "de même taille mais de poids différents. Ils permettent de prendre conscience de la manière de contracter et de soutenir correctement les muscles périnéaux" (LOCKS, 2013, p. 45).

**Électrostimulation vaginale/anale** - la contraction des muscles périnéaux se fait par "stimulation électrique, passive et involontaire, par la mise en place d'un transducteur vaginal ou même anal. Ces stimulations permettent de renforcer les muscles pelviens et d'inhiber les contractions involontaires du détrusor" (LOCKS, 2013, p. 45-6).

Les options de traitement de l'IU sont variées et l'ET doit acquérir toutes les connaissances nécessaires sur les techniques et les équipements existants. Il est important d'encourager l'autosoin, car si le patient est actif tout au long du processus de traitement et effectue les changements nécessaires, il lui sera plus facile de s'adapter et le professionnel devra se contenter de faciliter la procédure (HONORIO ; SANTOS, 2010).

Selon Souza (2015, p. 23), "l'incontinence anale (IA) est définie comme la perte involontaire d'excréments ou de gaz, à tout moment de la vie après avoir appris à utiliser les toilettes", la personne perd la capacité de contrôle physiologique dans un lieu et à un moment socialement appropriés.

Les causes qui peuvent générer une IA chez un individu sont variables, mais il est important de rappeler que cette " altération fonctionnelle peut générer de l'insécurité, une perte d'estime de soi, de l'angoisse, de la dépression, des troubles physiques, mentaux et sociaux, qui contribuent à une dégradation de la qualité de vie de l'individu " (SOUZA, 2015, p.25). Toutes ces réactions se produisent parce que, comme l'assurance-chômage, il s'agit d'une situation qui génère de la gêne et de la honte.

Il est important de rappeler que le pH des matières fécales est " capable d'endommager la peau ", c'est pourquoi l'ET nécessite une préoccupation constante de la peau, afin qu'elle ne finisse pas par développer des lésions cutanées à force d'être en contact permanent avec les matières fécales (SOUZA, 2015). "Il est nécessaire d'examiner l'état de la peau et de la plaie chirurgicale et l'existence de complications (YAMADA et al, 2009, texte numérique). Les dermatites sont fréquentes, " conçues comme des zones d'érythème et d'œdème situées à la surface de la peau, pouvant être accompagnées ou non de lésions bulleuses, d'exsudat, d'érosion ou d'infection cutanée secondaire " (SOUZA, 2015, p.26).

Comme traitement, les patients "ont d'abord l'option d'un traitement conservateur (stimulation du nerf sacré ou thérapie par biofeedback) et ensuite d'un traitement chirurgical (sphinctéroplastie)" (SOUZA, 2015, p.94). Le type de traitement dépendra de "l'intégrité du sphincter anal".

Il est intéressant de noter que la prise en charge infirmière de ce public a beaucoup à voir avec la capacité à stimuler positivement les patients, car ils font face à de nombreuses situations de tristesse, de colère ou de frustration. Il est nécessaire de contribuer à " rétablir l'équilibre de l'individu avec lui-même, avec l'autre et avec l'environnement dans lequel il se trouve " (SOUZA, 2015, p.95). La valeur de la participation à des groupes d'entraide devrait être " soulignée " (YAMADA et al, 2009, texte numérique).

Les soins ET couvrent la période préopératoire, la période peropératoire, la période postopératoire immédiate et immédiate et la période postopératoire tardive. Il est toujours nécessaire de réaliser la consultation infirmière mettant en œuvre la SNC, car cela permettra de systématiser les soins. Les visites à domicile, lorsqu'elles sont nécessaires, sont également importantes (YAMADA et al, 2009).

Il est intéressant de noter que dans la période préopératoire, le patient doit être "instruit sur la procédure chirurgicale, la préparation préalable en général, l'utilisation de cathéters et de divers équipements de collecte et les programmes d'aide publique" (YAMADA et al, 2009, texte numérique). Toujours donner la priorité à l'autosoin et promouvoir la réadaptation.

# 5 CONSIDÉRATIONS FINALES

L'étude réalisée montre clairement que la stomathérapie est une branche de la spécialisation en soins infirmiers qui présente des défis majeurs. Les résultats historiques prouvent que ses origines sont assez anciennes et qu'au fil du temps, cette spécialisation a gagné de l'espace et de l'importance.

Le nombre de personnes souffrant d'un détournement intestinal augmente chaque jour, d'où l'importance de l'ET, qui participe activement à l'ensemble du processus de réhabilitation de ces personnes. Nous savons également que le nombre de personnes souffrant de plaies ou d'incontinence est également élevé, ce qui confirme une fois de plus son importance.

Il convient de souligner que les soins infirmiers de stomathérapie contribuent de manière significative à l'amélioration de ces patients, car il s'agit d'un professionnel formé pour traiter ce type de problèmes. L'étude a clairement montré les différents rôles de l'infirmière stomathérapeute et la manière dont elle doit agir dans chaque situation.

Nous avons atteint tous les objectifs fixés dans le projet de recherche, à savoir : identifier le rôle de l'infirmière en ET, rechercher toutes les avancées en matière de soins, montrer qu'elle est principalement responsable de diverses procédures telles que la promotion de la santé, la prévention et la réhabilitation, qui est l'un des rôles fondamentaux de l'infirmière en ET.

Il convient de rappeler que l'ergothérapeute doit assumer son rôle au sein de l'équipe pluridisciplinaire, contribuer au plan de soins du patient et qu'il doit exercer son autonomie et s'acquitter de toutes ses tâches avec responsabilité et compétence.

L'étude a également montré que l'ET est le principal conseiller et qu'il doit enseigner et stimuler les soins auto-administrés pour ces patients. Ses fonctions ne se limitent pas à la réalisation d'un pansement, mais englobent le patient dans tous ses aspects physiques, émotionnels et sociaux.

Enfin, nous espérons que ce travail sera une réflexion pour tous les professionnels de la santé, en particulier les infirmières, afin qu'il puisse être une incitation à de nouvelles recherches futures sur le sujet, étant donné son importance et la rareté des publications actuelles.

# 6 RÉFÉRENCES

BRÉSIL, **Ministère de la santé**. Ordonnance n° 620 du 12 novembre 2010. Tableau de la classification brésilienne des professions utilisée dans le SCNES, CBOs 2231 - G1 - MÉDECIN CARDIOLOGUE D'INTERVENTION, 3222 - E3 - TECHNICIEN PERFUSIONNISTE et INFIRMIÈRE STOMATHERAPISTE. Disponible à l'adresse suivante : <http://bvsms.saude.Qov.br/bvs/saudeleQis/sas/2010/prt0620 12 112010.html>Consulté le 29 septembre 2016.
BRITO, K. K. G. de. Plaies chroniques : approche infirmière dans la production scientifique de troisième cycle. **Rev enferm UFPE on line**, Recife, 2013, p. 414-21. Disponible à l'adresse suivante : <http://www.revlsta.ufpe.br/revlstaenfermagem/Index.php/revlsta/article/download/34 32/5310> Consulté le : 15 avr. 2017.

BORGES, E. L. Le rôle des infirmières en stomathérapie et la législation brésilienne : progrès et croissance dans le domaine. **Rev. Enferm. Cent. O. Min. (RECON)**, v.6. n.2. mai/ago 2016. Disponible à l'adresse : <http://www.seer.ufsj.edu.br/index.php/recom/article/view/1467/1112> Consulté le : 19 septembre 2016.

CAMPOS, A. A. G. de (coord.) ; MORE, L. F. (org.) ; ARRUDA, S. S. de (org.). **Protocole de soins des plaies**. Florianopolis. Département municipal de la santé, 2006. Disponible à l'adresse : <http://www.pmf.sc.gov.br/arquivos/arquivos/pdf/26 10 2009 10.46.46.f3edcb3b301c 541c121c7786c676685d.pdf> Consulté le 22 avril 2017.

CARNEIRO, C. M. ; SOUSA, F. B. de ; GAMA, F. N. Wound treatment : nursing care in primary health care units. **Revista Enfermagem Integrada**, Ipatinga : Unileste-MG, v.3, n.2, 2010, p. 494-505.
Disponible à l'adresse suivante : https://www.unilestemg.br/enfermagemintegrada/artigo/V3 2/03-tratamento-de-ferias-assitencia-de-enfermagem.pdf> Consulté le : 15 abr. 2107.

CARVALHO, V. M. J. ; CARDOSO, J. R. da S. Soins de la dermatite péristomiale. In : MALAGUTTI, William ; KAKIHARA, Cristiano Tarzio (org.).
**Pansements, stomie et dermatologie** : une approche multiprofessionnelle. Sao Paulo : Martinari, 2014.

CESARETTI, I.U. R. ; LEITE, M. das G. Bases des soins en stomathérapie. In : SANTOS, Vera Lucia Conceigao de Gouveia ; CESARETTI, Isabel Umbelina Ribeiro. **Assistance en stomathérapie : soins aux personnes souffrant de stomies**. Sao Paulo : Atheneu, 2015.

COSTA, C. R. de L. ; BRITO, B. V. de ; COSTA, M. M. L. Redécouvrir le pansement : corrélation entre la préparation technico-scientifique et la pertinence de l'autonomie infirmière en stomathérapie. In : 17° SENPE SEMINARIO NACIONAL DE PESQUISA EM ENFERMAGEM, 2013, Natal. **Actes électroniques**... Natal, 2013. Disponible à l'adresse : <

http://www.abeneventos.com.br/anaissenpe/17senpe/pdf/1274po.pdf> Consulté le : 23 sept. 2016.

DIAS, M. de S. C. ; PAULA, M. A. B. de ; MORITA, A. B. P. da S. Perfil Profissional de Enfermeiros Estomaterapeutas Egressos da Universidade de Taubate. **Rev. ESTIMA**, v.12, n.3, 2014. Disponible à l'adresse : <http://www.revistaestima.com.br/index.php/estima/article/view/92> Consulté le : 20 septembre 2016.

FRANQA, N. A. da S. et al. Acute and chronic wounds : a bibliographic review in search of evidence for care. In : VI CONCCEPAR : Congrès scientifique de la région centre-ouest du Paraná. 2015. Campo Mourao. **Actes électroniques**... Campo Mourao, 2015. Disponible à l'adresse : http://conccepar2015.grupointegrado.br/resumo/feridas-agudas-e-cronicas-uma-revisao-bibliografica-na-busca-de-evidencias-para-o-cuidado/640> Consulté le : 18 avr. 2017.

FERREIRA, A. M. ; CANDIDO, M. C. F. da S. ; CANDIDO, M. A. O cuidado de pacientes com feridas e a construgao da autonomia do enfermeiro. Rio de Janeiro : **Rev. enferm. UERJ**, 2010, p. 656-60. Disponible à l'adresse suivante : <http://www.facenf.uerj.br/v18n4/v18n4a26.pdf> Consulté le : 20 septembre 2016.

HONORIO, M. O. ; SANTOS, S. M. A. dos. Le réseau de soutien aux patients incontinents : la recherche de soutien et de traitement. **Rev. enferm. UERJ**, Rio de Janeiro, 2010, p. 383-8. Disponible à l'adresse : <http://www.facenf.uerj.br/v18n3/v18n3a08.pdf> Consulté le 19 avril 2017.

LOCKS, M. O. H. **Incontinence urinaire chez les femmes âgées hospitalisées** : défis pour les soins infirmiers. 2013. 179 f. Thèse (Doctorat en soins infirmiers) - Centre des sciences de la santé - Université fédérale de Santa Catarina, Florianopolis. 2013. Disponible à l'adresse : <https://repositorio.ufsc.br/> Consulté le : 10 avril 2017.

MATA, L. R. F. da. Production scientifique nationale dans les revues de soins infirmiers relatives à l'incontinence urinaire : une revue intégrative. **Rev enferm UFPE online**. Recife, 2014, p. 3188-96. Disponible à l'adresse : <http://www.revista.ufpe.br/revistaenfermagem/index.php/revista/article/download/5533/10309> Consulté le : 20 avril 2017.

MITTAG, B. F. et al. Soins des lésions cutanées : les augures infirmiers. **Rev. ESTIMA**, v.15, n.1,2017, p. 19-25. Disponible à l'adresse : <https://www.revistaestima.com.br/index.php/estima/article/view/447> Consulté le : 15 avr. 2017.

MORAIS, D. Une **femme stomisée peut-elle garder le charme** : stomie. Goiania, 4 ed, 2009, p. 9-10. Disponible sur : <http://www.abraso.org.br/cart ostomized woman 4ed.pdf> Accédé le : 14 avr. 2017.

OROSCO, S. S. ; MARTINS, E. A. P. Evaluating wounds : a description for

systematizing care. **Rev. Enfermagem Brasil**, n.1, 2006. Disponible à l'adresse :
<http://www.faculdadesmonteneQro.edu.br/Enfermagem 2006.pdf#page=45>
Consulté le : 22 avril 2017.

PAULA, M. A. B. de ; SANTOS, V. L. C. de G. O significado de ser especialista para
o enfermeiro estomaterapeuta. **Rev. Latino - am Enfermagem**, 2003, p. 474-82.
Disponible à l'adresse : <http://www.scielo.br/scielo.php?script=sci
arttext&pid=S010411692003000400010> Consulté le : 22 septembre 2016.

ROCHA, J. J. R. da. Les stomies intestinales (iléostomies et colostomies) et les
anastomoses intestinales. In : SIMPOSIO FUNDAMENTOS EM CLINICA
CIRURGICA, 3. ed, v.44, n. 1, cap. v, 2011, p. 51 -6. Ribeirao Preto. **Actes**... Sao
Paulo : USP, 2011.
Disponible à l'adresse : <http://revista.fmrp.usp.br/2011/vol44n1/Simp5
Stomas%20intestinal.pdf> Consulté le : 14 avr. 2017.

RODRIGUES, A. B. et al. **O guia da enfermagem** : fundamentos para assistência.
Sao Paulo : Iatria, 2008.

SANTOS, V. L. C. de Gouveia. La stomathérapie à travers les âges. In : SANTOS,
Vera Lucia Conceigao de Gouveia ; CESARETTI, Isabel Umbelina Ribeiro.
**Assistance en stomathérapie : soins aux personnes souffrant de stomies**. Sao
Paulo : Atheneu, 2015.

SILVA, F. A. A. et al. Nursing in stomatherapy : clinical care for patients with venous
ulcers. **Rev. Bras. Enferm**, Brasilia, 2009, p. 889-93. Disponible à l'adresse :
<http://www.scielo.br/pdf/reben/v62n6/a14v62n6> Consulté le : 22 avril 2017.

SOUZA, L. C. de. **Incontinence anale et diagnostic infirmier** : déterminants,
prévalence et représentations sociales. 2015. 129 f. Mémoire (Master en soins
infirmiers) - Technologie, culture et communication en santé et soins infirmiers -
TECCSE - Université fédérale de Juiz de Fora, Juiz de Fora, 2015. Disponible à
l'adresse :
<https://repositorio.ufjf.br/jspui/bitstream/ufjf/341/1/lucienecarnevaledesouza.pdf>
Consulté le : 10 avr. 2017

SOUZA, N. Z. de et al. Le rôle des infirmières dans le service de stomathérapie. In : II
JORNADA INTERNACIONAL DE ENFERMAGEM VISIBILIDADE PROFESSIONAL
DO ENFERMEIRO : avangos e conquistas, 2. ed. 2012, Santa Maria. **Actes
électroniques**... Santa Maria, 2012. Disponible à l'adresse :
<http://www.unifra.br/eventos/jornadadeenfermagem/Trabalhos/4256.pdf> Consulté
le : 20 avril 2017.

TEIXEIRA, A. K. S. ; MENEZES, L. C. G. de ; OLIVEIRA, R. M. Stomatherapy service
from the perspective of nursing managers in a public referral hospital. **Rev. ESTIMA**,
v.14, n.1,2016, p. 3-12. Disponible sur :
<http://webcache.googleusercontent.com/search?q=cache:v6RdHBADGK0J:www.rev
istaestima.com.br/index.php/estima/article/download/114/pdf+&cd=1&hl=en-
BR&ct=clnk&gl=br> Consulté le : 19 septembre 2016.

VALENQA, M. P. et al. Nursing care in urinary incontinence : an integrative review study. **Rev. ESTIMA**, v.14, n.1, 2016, p. 43-9. Disponible à l'adresse : <https://www.revistaestima.com.br/index.php/estima/article/view/195/pdf> Consulté le : 15 avr. 2017.

VASCONCELLOS, F. M. ; XAVIER, Z. D. M. The nurse in the care of the colostomized client based on Orem's theory. **Revista Recien**. Sao Paulo, 2015, p. 2537. Disponible à l'adresse : <http://www.recien.com.br/index.php/Recien/article/view/108/176> Consulté le : 19 avril 2017.

YAMADA, B. F. A. Stomathérapie - histoire. **Association brésilienne de stomathérapie : stomates, plaies et incontinence**. Disponible à l'adresse : <http://www.sobest.org.br/texto/6> Consulté le : 21 septembre 2016.

YAMADA, B. F. A., ROGENSKI, N. M. B. ; OLIVEIRA, P. de A. Aspectos historicos, eticos e legais da estomaterapia. **Rev. ESTIMA**, v.1, n.2, 2003. Disponible à l'adresse : <http://www.revistaestima.com.br/index.php/estima/article/view/130> Consulté le : 21 septembre 2016.

YAMADA, B. F. A. et al. **Stomathérapie - compétences de l'infirmière stomathérapeute Ti SOBEST ou l'infirmière stomathérapeute**. 2009. Disponible sur : <http://www.sobest.org.br/texto/11> Consulté le 27 septembre 2016.

Milton Keynes UK
Ingram Content Group UK Ltd.
UKHW011146010424
440421UK00001B/330